유아 연산의 기준

칸토의 연산

6부터 9까지의 수

"취학 전 우리 아이가
해야 할 수학은?"

아이를 키우는 부모님이라면 하나같이 우리 아이가 수학을 좋아하고 잘했으면 하는 바람일 것입니다. 수학에 대한 안 좋은 기억이 있으신 부모님들이라면 더더욱 걱정과 조바심 속에 초등학교 가기 훨씬 전부터 아이에게 여러 문제집을 풀게 하며 수학에 많은 시간을 사용합니다. 지금까지 아이가 푼 문제집을 쌓아 올리며 부모님 스스로가 뿌듯해 하기도 합니다.

그런데 아이가 수학을 잘하기 위해 초등학교 입학 전에 해야 할 가장 중요한 것은 무엇일까요?

수학에 관심을 갖고 수학에 재미를 느끼는 것입니다.

그러나 현실은 그렇지 않습니다. 아이들은 방대한 양의 반복된 문제를 풀며 가장 중요한 목표인 재미로부터 멀찌감치 떨어져 출발하게 됩니다. 첫 단추가 잘못 끼워지니 그 이후의 단추들도 제대로 끼워지기 어렵습니다. 아이가 처음 숫자를 보고 읽고 수를 셀 때의 희망찬 모습에서 어느덧 수 앞에만 서면 작아지는 아이의 모습으로 부모님의 새로운 걱정은 시작됩니다. 이를 바로잡으려 부모님께서 다시 힘을 내보려 하지만 너무 오래된 수학이 낯설고 멀게만 느껴집니다.

「칸토의 연산」은 아이에게는 아이의 시선에 맞게 문제의 형태와 양을 재미있게 구성하여 즐거운 시간이 될 수 있게 하였고, 부모님께는 아이를 가까이서 직접 지도할 수 있는 학습 가이드(칸토 쌤)를 제공하여 최고의 선생님이 될 수 있게 하였습니다.

수학을 잘하기 위해서는 한 문제를 끝까지 풀기 위한 노력과 끈기도 필요합니다. 하지만 수학을 잘하기 위해 지금 부모님께서 해야 할 일은 아이에게 수학에 대한 좋은 첫인상을 심어주는 것입니다. 문제 푸는 것을 어려워한다면 과감히 다음 기회로 넘기고 기다려주세요. 첫 만남이 나쁘지 않았던 우리 아이는 다시금 수학을 찾고 수학과 더 깊은 관계로 발전해 나갈 수 있을 거예요.

"초등 입학 전 연산
딱 4가지만 알고 가요."

취학 전 우리 아이가 반드시 학습해야 할 연산 주제 4가지를 제시합니다.

수 세기(1~50)

[수 세기 방법 4가지]
① 앞으로 세기 1, 2, 3, 4, 5, ……
② 거꾸로 세기 10, 9, 8, 7, ……
③ 이어 세기 5, 6, 7, 8, 9, ……
④ 묶어 세기 2, 4, 6, 8, 10, ……
(뛰어 세기)

수를 세는 과정에는 덧셈과 뺄셈의 원리가 숨어 있어요.
실생활 소재(음식, 물건, 계단)와 수 세기 모형(주사위,
수직선, 계란판)을 이용하여 반복하여 연습해 주세요.
아이의 수·연산 감각을 발달시킬 수 있는 출발점입니다.

수 계열(1~50)

[50까지의 수 배열표]

1 큰 수 →

1	2	3	4	5	6	7	8	9	10
11	12	13	14	15	16	17	18	19	20
21	22	23	24	25	26	27	28	29	30
31	32	33	34	35	36	37	38	39	40
41	42	43	44	45	46	47	48	49	50

10 큰 수

10 작은 수

1 작은 수

50까지의 수 배열표를 관찰하며 수의 구성과 각 수들 간의
관계를 파악하고 50까지의 수를 익혀요. 수 배열표를 머릿속
으로 그릴 수 있어야 해요.

모으기·가르기(1~9)

[모으기]

2   3

☐

[가르기]

7

2   ☐

9까지의 수를 모으고 가르는 활동은 덧셈, 뺄셈
의 기초이며 핵심 원리예요.
손가락뿐만 아니라 생활 속 다양한 구체물을
활용하여 반복적으로 연습해 보세요.

덧셈·뺄셈(0~9)

[동적 상황의 덧셈·뺄셈]

$2 + 3 = $ ☐ $7 - 2 = $ ☐

덧셈, 뺄셈은 동적인 상황(첨가, 제거)과 정적인
상황(합병, 비교) 2가지가 있어요. 이것을
잘 이해하면 덧셈·뺄셈 문장제 문제를
해결하는 데 큰 도움이 돼요.

단계별 구성

유아/3단계

단계	권	주제
5세	1	1부터 5까지의 수
	2	6부터 9까지의 수
	3	1부터 9까지의 수
	4	덧셈과 뺄셈의 기초
6세	1	0부터 10까지의 수
	2	10까지의 수에서 더하기·빼기 1
	3	20까지의 수에서 더하기·빼기 1, 10
	4	20까지의 수에서 더하기·빼기 1, 2, 10
7세	1	합이 9까지의 덧셈
	2	9까지의 뺄셈과 덧셈·뺄셈
	3	50까지의 수에서 더하기·빼기 1, 2, 10
	4	받아올림·내림 없는 (두 자리 수±한 자리 수)

초등/6단계

단계	권	주제
초1	1	덧셈구구
	2	뺄셈구구
	3	편리한 계산 전략
	4	100까지의 수, 받아올림·내림 없는 (두 자리 수±두 자리 수)
초2	1	받아올림·내림 있는 (두 자리 수±한 자리 수)
	2	받아올림·내림 있는 (두 자리 수±두 자리 수)
	3	곱셈의 기초와 곱셈구구(1)
	4	곱셈구구(2)
초3	1	받아올림·내림 있는 (세 자리 수±세 자리 수)
	2	나눗셈구구
	3	(세 자리 수×한 자리 수), (두 자리 수×두 자리 수)
	4	분수와 소수의 기초
초4	1	큰 수
	2	곱셈과 나눗셈
	3	분모가 같은 분수의 덧셈과 뺄셈
	4	소수의 덧셈과 뺄셈
초5	1	자연수의 혼합 계산
	2	약수와 배수, 약분과 통분
	3	분모가 다른 분수의 덧셈과 뺄셈
	4	분수의 곱셈, 소수의 곱셈
초6	1	분수의 나눗셈
	2	소수의 나눗셈
	3	비와 비율
	4	비례식과 비례배분

칸토의 연산 시리즈

(9단계, 총 36권)

- 연산의 원리부터 재미있는 퍼즐형 문제까지 다루는 기본 난이도의 연산 교재
- 나선형 반복 학습과 확장 커리큘럼
- [칸토의 연산] ➡ [응용 연산]으로 이어지는 기본·심화 연산 학습 설계
- 단계별 4권, 9단계 총 36권 구성
- 한 단계 4개월 완성
- 학년별 교과서 진도와 맞춤 병행

이 책의 칸토 구성과 특징:

- 하루 2쪽, 매주 5일씩 4주 동안 완성하는 연산 프로그램이에요.
- 연령별 아이의 학습 눈높이와 학습 체력에 맞게 쉬운 난이도와 하루 10분 정도의 학습 분량으로 구성하였어요.
- 선생님과 같은 실력으로 아이를 지도할 수 있게 「칸토 쌤」 코너에 알찬 학습 가이드를 수록하였어요.

1 학습 안내 · 무엇을 공부할까요?

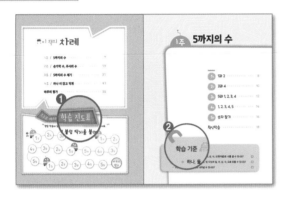

❶ 붙임 딱지를 붙여 학습 진도를 체크해요.

❷ 이번 주에 꼭 알아야 할 학습 기준을 체크해요.
공부 전에 간단히 살펴보고, 한 주 공부가 끝나면 반드시 확인해 보세요.

2 일일 학습 · 매주 5일씩 4주 동안 공부해요.

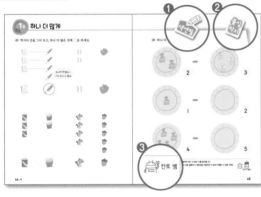

❶ 색연필을 사용하는 활동이에요.

❷ 붙임 딱지를 붙이는 활동이에요.

❸ 연산의 개념, 원리, 활용뿐만 아니라 아이의 학습 심리 상태를 파악할 수 있는 학습 가이드를 꼭 참고하세요.

3 확인 학습 · 이번주 배운 내용을 잘 알고 있나요?

4 마무리 평가 · 4주 동안 배운 내용을 잘 알고 있나요?

이 책의 차례

스스로 체크하는 학습 진도표

" 일일 학습이 끝나면 붙임 딱지를 붙여 학습 진도를 표시해 보세요. "

출발

1주 **1**일 → **2**일 → **3**일 → **4**일 → **5**일 → 2주 **1**일 → **2**일

4일 ← **3**일 ← **2**일 ← 3주 **1**일 → **5**일 → **4**일 → **3**일

5일 ← 4주 **1**일 → **2**일 → **3**일 → **4**일 → **5**일 → 마무리 평가

1주 6, 7, 8, 9

학습 기준

● 여섯, 일곱, 여덟, 아홉(우리말)과 육, 칠, 팔, 구(한자말)로 수를 셀 수 있나요? ☐

● 6, 7, 8, 9를 보고 여섯, 일곱, 여덟, 아홉과 육, 칠, 팔, 구로 읽을 수 있나요? ☐

● 수를 세어 6, 7, 8, 9로 나타낼 수 있나요? ☐

6 딱지를 찾아 붙이세요.

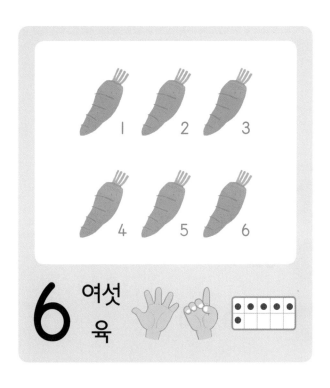

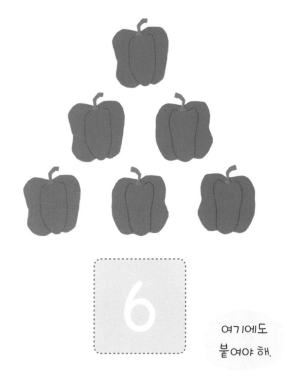

여기에도
붙여야 해.

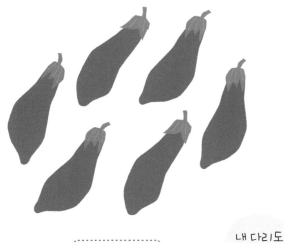

내 다리도
여섯이야!

🐛 7 딱지를 찾아 붙이세요.

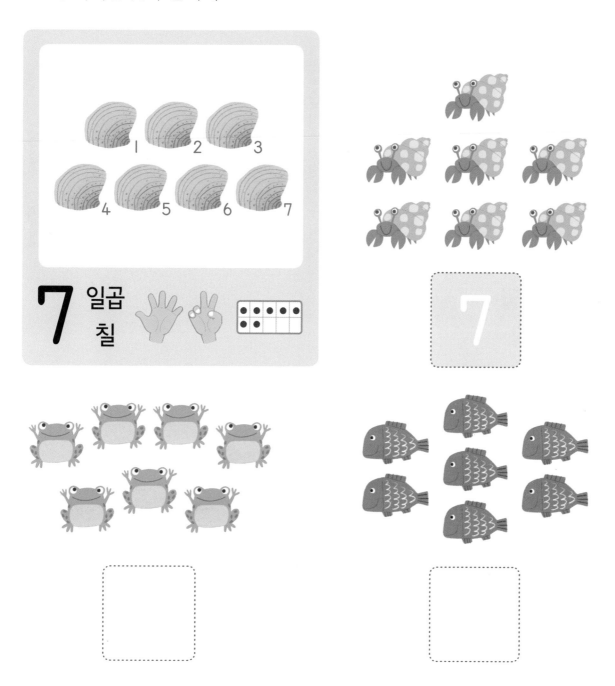

🤖 칸토 쌤   5세 1권에서 배웠던 1, 2, 3, 4, 5에 이어 5세 2권에서는 6, 7, 8, 9를 공부합니다.
'숫자 쓰기'는 5세 3권에 소개되니 손가락, 점 수판, 구체물을 2가지 방법(우리말, 한
자말)으로 세어 보며 숫자의 모양을 눈으로 충분히 익혀 보세요.

7 7 7

(7의 다양한 모양)

2일 8과 9

🐛 8 딱지를 찾아 붙이세요.

내 다리도
여덟이야!

9 딱지를 찾아 붙이세요.

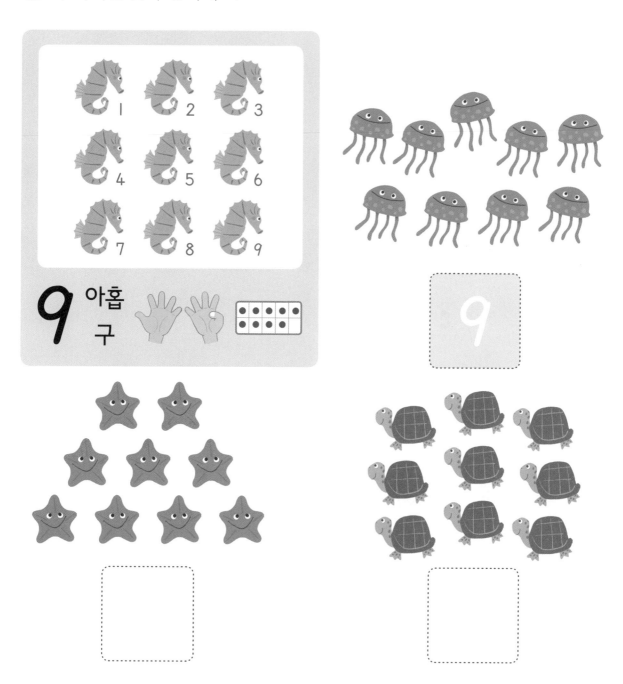

 칸토 쌤 배열이 다르더라도 개수가 같음을 이해합니다. 이것을 '보존 개념'이라고 하는데 같은 수의 바둑돌로 배열을 다양하게 바꾸어 가며 수와 숫자를 익혀 보세요. 6, 7세 무렵이면 대부분의 아이들이 보존 개념이 형성되기 시작하므로 아이가 잘 모르더라도 기다려 주세요.

어느 쪽이 더 많니?

똑같은 수 딱지를 2개씩 찾아 붙이세요.

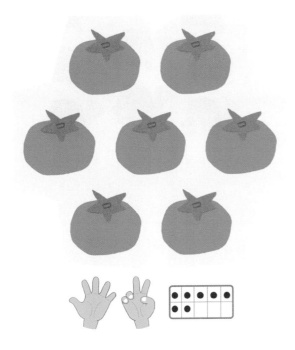

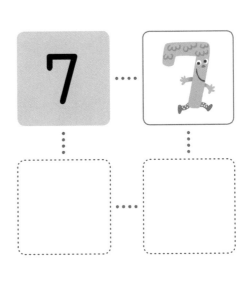

똑같은 수 딱지를 **2**개씩 찾아 붙이세요.

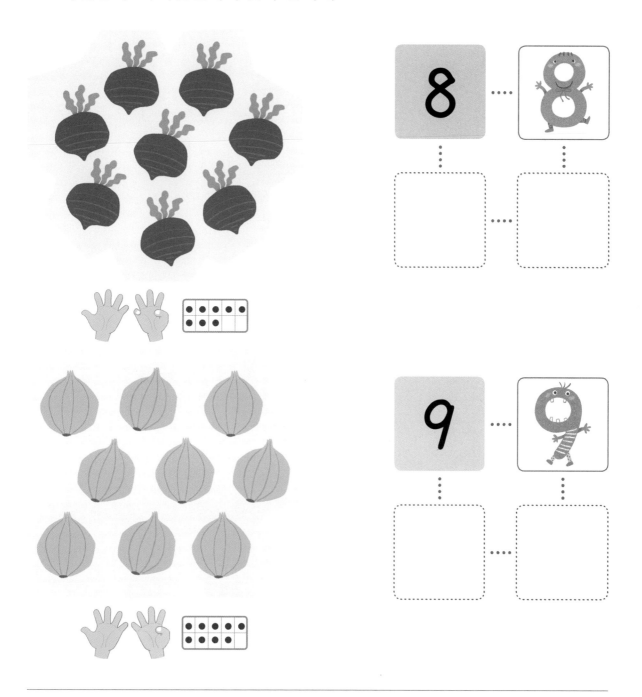

칸토 쌤 | 손가락과 점 수판은 수의 위치가 정해져 있어 직관적으로 수를 셀 수 있게 해
주는 편리한 도구예요. 숫자의 모양과 더불어 두 가지 모형의 이미지가 서로
연결되도록 연습해 주세요.

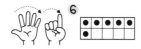

 알맞은 수 딱지를 찾아 붙이세요.

먼저 왼쪽 손가락
5개는 펴야 해.

 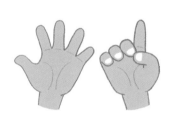 

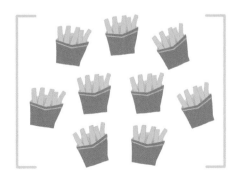 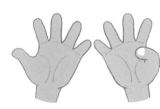 

알맞은 수 딱지를 찾아 붙이세요.

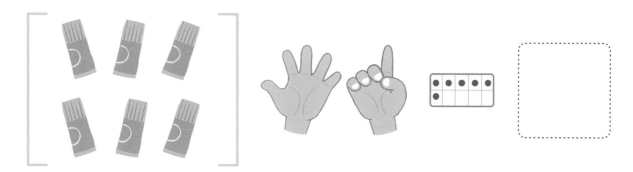

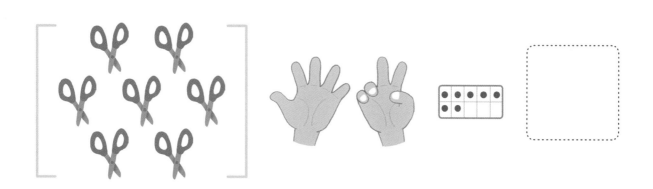

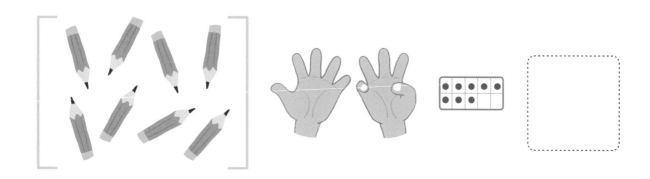

칸토 쌤 5까지 잘 말했던 아이도 6부터는 수를 셀 때 수를 빠뜨리거나 건너뛰는 친구들이 많아요. 외워야 할 수가 많아서 그래요. 평소에 손가락 또는 구체물을 이용하여 수 세기를 반복해서 연습해 주세요.

숫자 찾기

숨어 있는 6, 7, 8, 9를 찾아 색칠하세요.

꼭꼭 숨어라.
숫자 모양 보일라 ~.

🐣 6, 7, 8, 9를 찾아 ◯표 하세요.

🤖 칸토 쌤 숫자의 생김새를 잘 기억하고 있는지 알아보는 활동이에요.
아이와 팔, 다리 등 몸으로 숫자 모양을 만들고 서로 맞히는 놀이를 해 보세요. 구체물을
이용해도 좋아요. 숫자 모양 공부는 물론 아이와 더 가까워지는 시간이 될 거예요.

숫자 7

확인학습

 알맞은 수 딱지를 찾아 붙이세요.

 숨어 있는 숫자를 하나씩 찾아 색칠하세요.

➜ 7쪽으로 돌아가 1주 차 학습 기준을 달성했는지 체크해 보세요.

2주 손가락 수, 점 수판

학습 기준

- 손가락의 수만큼 붙임 딱지를 붙일 수 있나요? ☐

- 손가락의 수를 세어 6, 7, 8, 9로 나타낼 수 있나요? ☐

- 점 수판의 수를 세어 6, 7, 8, 9로 나타낼 수 있나요? ☐

- 손가락 수, 점 수판, 숫자를 보고 서로 같은 수를 찾을 수 있나요? ☐

손가락 수(1)

1일

 펼친 손가락만큼 ⬤ 딱지를 붙이세요.

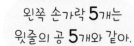
왼쪽 손가락 5개는
윗줄의 공 5개와 같아.

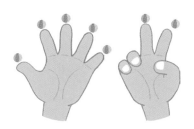

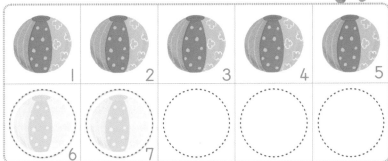

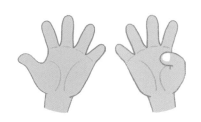

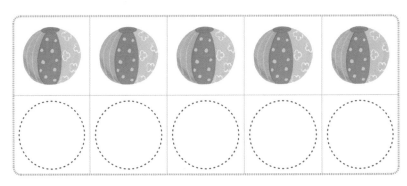

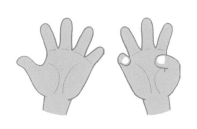

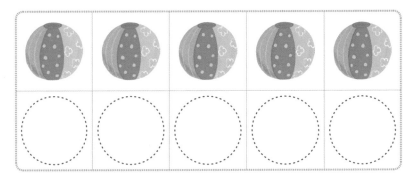

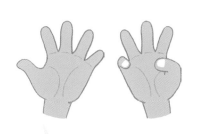 펼친 손가락만큼 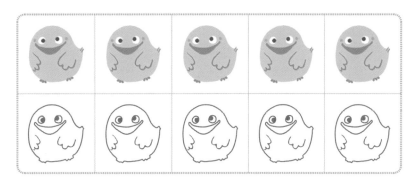를 색칠하세요.

5개는 이미
색칠했어.

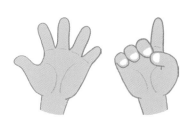

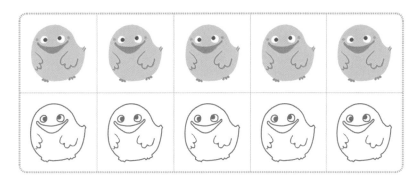

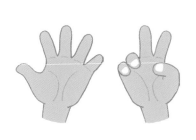

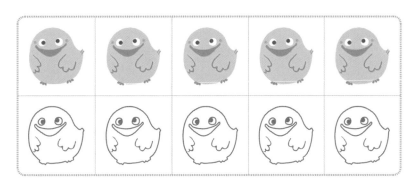

 칸토 쌤   손가락 수를 점 수판의 수로 바꾸는 활동이에요. 정확히 표현하려면 손가락 하나와 점 수판의 그림 하나를 서로 대응(일대일 대응)시킬 수 있어야 해요.

1	2	3	4	5
6	7	8	9	

2일 손가락 수(2)

손가락이 나타내는 수를 찾아 ○표 하세요.

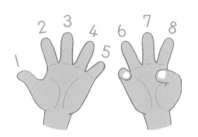

| 6 | 7 | (8) | 9 |

5부터 이어 세어 봐.
5, 6, 7!

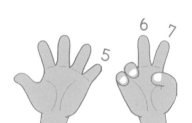

| 6 | 7 | 8 | 9 |

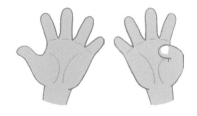

| 6 | 7 | 8 | 9 |

손가락이 나타내는 수 딱지를 찾아 붙이세요.

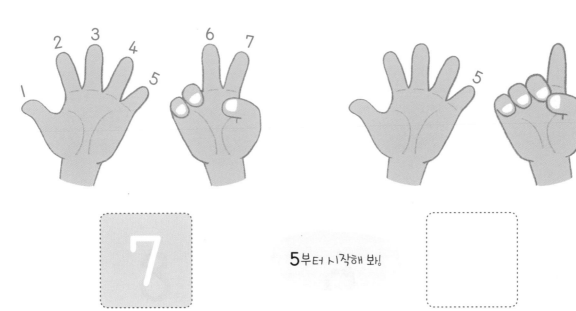

7

5부터 시작해 봐!

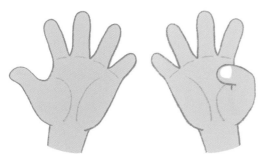

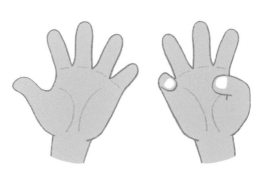

 칸토 쌤 | 손가락 수를 숫자로 나타내는 활동이에요. 왼쪽 손은 항상 5를 나타내므로 5부터 이어 세기를 하여 6, 7, 8, 9를 익힐 수 있도록 합니다.

5, 6, 7, 8 ➡ 8
(시작)

점 수판이 나타내는 수를 찾아 ◯표 하세요.

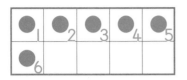

◯6 7   8   9

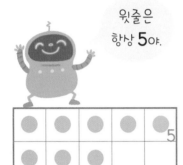
윗줄은 항상 **5**야.

6 7   8   9

6 7   8   9

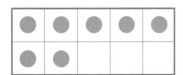

6 7   8   9

점 수판이 나타내는 수 딱지를 찾아 붙이세요.

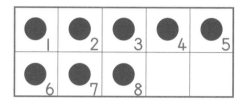

8

하나씩
세어 보지 않고
알 수 있어?

칸토 쌤 점 수판의 수를 숫자로 바꾸어 나타내는 활동이에요. 점 수판의 윗줄은 항상 5를 나타내므로 5부터 이어 세기를 하여 숫자 6, 7, 8, 9를 익힐 수 있도록 합니다.

1	2	3	4	5
6	7	8	9	

5

25

 4일 손가락 수와 점 수판

수에 맞게 손가락 수 딱지를 찾아 붙이세요.

7

8

왼쪽 손은 항상 5야.

9

6

점 수판이 나타내는 수를 찾아 선으로 이으세요.

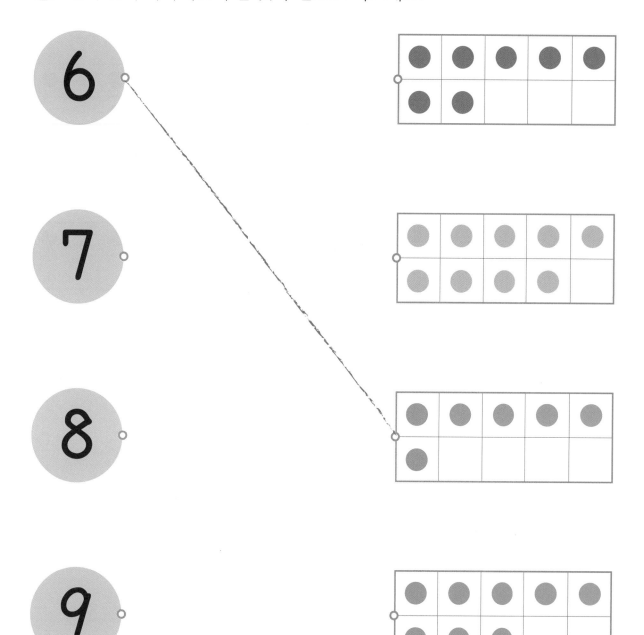

6

7

8

9

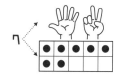

칸토 쌤 | 앞에서는 손가락 수와 점 수판을 보고 숫자로 나타내었습니다. 이번에는 반대로 숫자를 보고 손가락 수와 점 수판으로 나타냅니다. 두 모형의 이미지를 머릿속으로 그릴 수 있어야 쉽게 해결할 수 있어요.

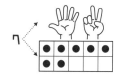

같은 수를 찾아 색연필로 선을 이으세요.

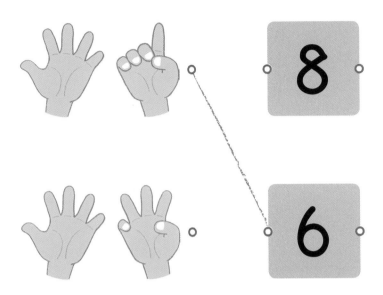

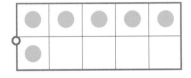

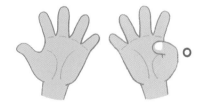

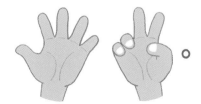

같은 수끼리 색연필로 선을 이으세요.

확인학습

손가락이 나타내는 수를 찾아 ○표 하세요.

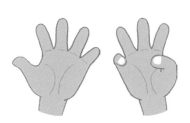

6   7   8   9

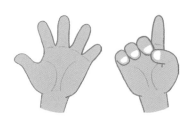

6   7   8   9

점 수판이 나타내는 수 딱지를 찾아 붙이세요.

→ 19쪽으로 돌아가 2주 차 학습 기준을 달성했는지 체크해 보세요.

3주 9까지의 수 세기

학습 기준

● 9까지의 수를 세어 숫자로 나타낼 수 있나요? ☐

● 9까지의 수를 보고 수만큼 그림을 색칠할 수 있나요? ☐

● 여러 종류가 섞인 그림을 보고 따로 셀 수 있나요? ☐

개수 찾기

세어 보고 알맞은 수를 찾아 ◯표 하세요.

점 수판을 생각해 봐.

6 (7) 8 9

6 7 8 9

6 7 8 9

세어 보고 알맞은 수를 찾아 ✕표 하세요.

8 6 7 9

숫자가 뒤죽박죽
섞여 있어. 조심해!

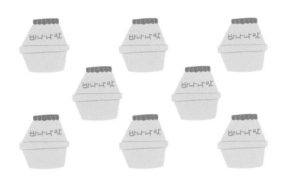

7 9 6 8

9 6 7 8

칸토 쌤 2주 차에는 6, 7, 8, 9에 해당하는 두 가지 수 모형(손가락 수, 점 수판)을 학습하였어요.
3주 차에는 수 모형을 기초로 하여 다양한 배열의 수 세기를 공부합니다. 수를 셀 때는 수를 빠뜨리지 않고 정확
히 세는 것이 중요해요.

2일 개수 세기

🐛 세어 보고 알맞은 수 딱지를 찾아 붙이세요.

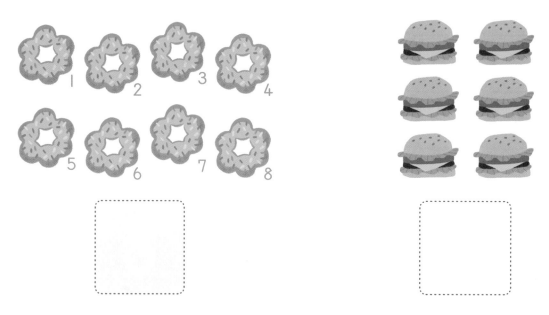

빠뜨리지 않고
세어야 해.

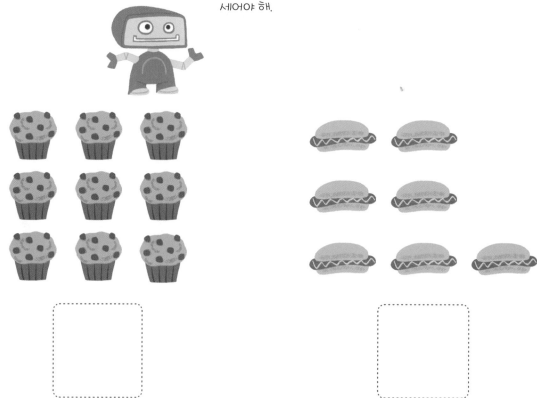

몇 개일까요? 알맞은 수 딱지를 찾아 붙이세요.

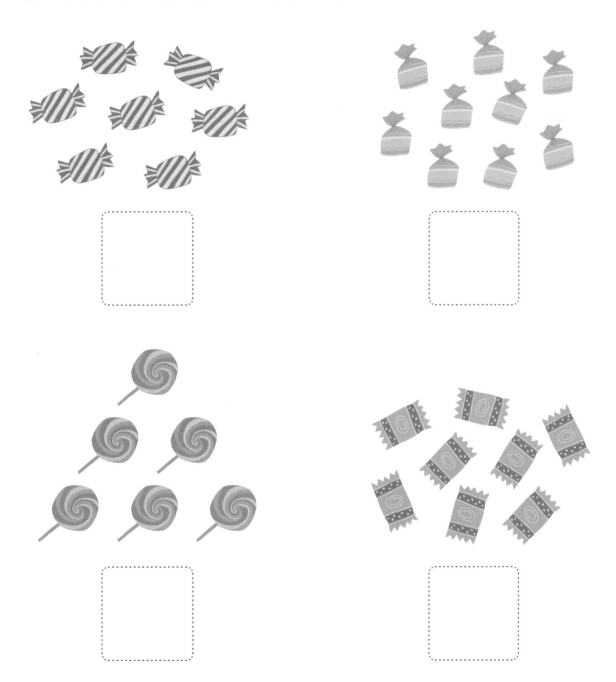

(직관적 수 세기)

수만큼

수에 맞게 그림을 색칠하세요.

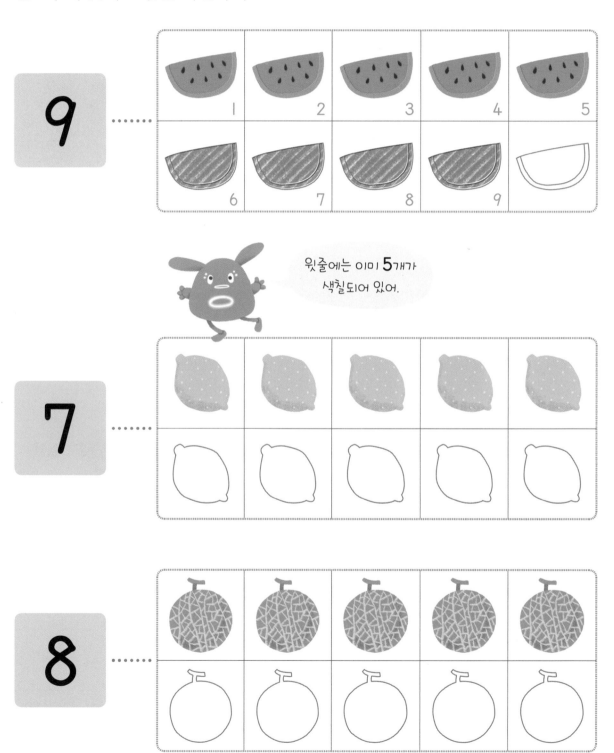

윗줄에는 이미 **5**개가
색칠되어 있어.

수에 맞게 그림을 색칠하세요.

6

7

9

칸토 쌤 숫자를 보고 점 수판으로 바꾸어 나타내는 활동이에요. 점 수판의 위치에 따라 숫자가 정해져 있으므로 윗줄에서 아랫줄로, 왼쪽에서 오른쪽으로 차례로 그림을 색칠할 수 있어야 해요.

1	2	3	4	5	**5**
6	7	8	9		

4일 따로 세기

따로 세어 보고 알맞은 수 딱지를 찾아 붙이세요.

/ 표시하며
세어 봐.

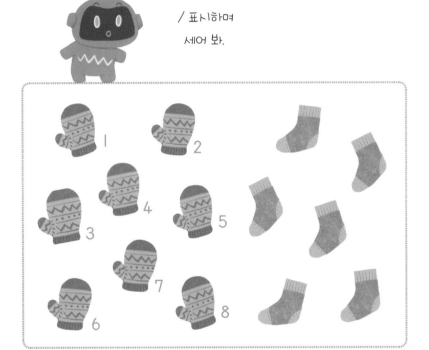

각각 몇 개일까요? 알맞은 수 딱지를 찾아 붙이세요.

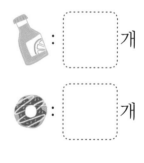

칸토 쌤 두 종류의 그림이 따로 떨어져 있을 때와 섞여 있을 때 수를 세어 봅니다. 그림의 수가 많기 때문에 수를 셀 때 실수하기 쉬워요. 수를 빠뜨리거나 중복하여 세지 않도록 그림에 ╱ 표시하여 세어 봅니다.

복잡한 세기

🐛 수를 세어 알맞은 수 딱지를 찾아 붙이세요.

: ☐ 개

: ☐ 개

: ☐ 개

: ☐ 개

동물들이 가져가는 먹이의 개수를 세어 보고, 수 딱지를 집에 붙이세요.

칸토 쌤 장난감을 정리할 때나 마트에 갈 때와 같이 실생활에서 아이와 수 세기를 해 보세요. 아이들은 수 세기를 놀이처럼 재미있어 할 뿐만 아니라 수 세기의 필요성도 느낄 수 있을 거예요.

세어 보고 알맞은 수를 찾아 ◯표 하세요.

6 7 8 9

6 7 8 9

각각 몇 개일까요? 알맞은 수 딱지를 찾아 붙이세요.

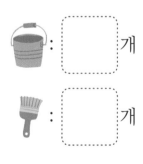

➡ 31쪽으로 돌아가 3주 차 학습 기준을 달성했는지 체크해 보세요.

4주 하나 더 많고 적게

학습 기준

- 9까지의 수에서 하나 더 많은 그림을 찾을 수 있나요? ☐

- 9까지의 수에서 하나 더 많은 수를 알 수 있나요? ☐

- 9까지의 수에서 하나 더 적은 그림을 찾을 수 있나요? ☐

- 9까지의 수에서 하나 더 적은 수를 알 수 있나요? ☐

1일 하나 더 많게

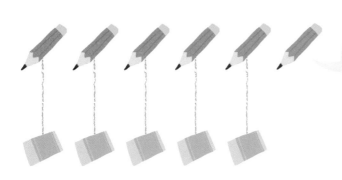

짝지어 선을 그어 보고, 하나 더 많은 것에 ◯표 하세요.

연필이 하나 남네.

🐟 하나 더 많은 것에 ◯표 하세요.

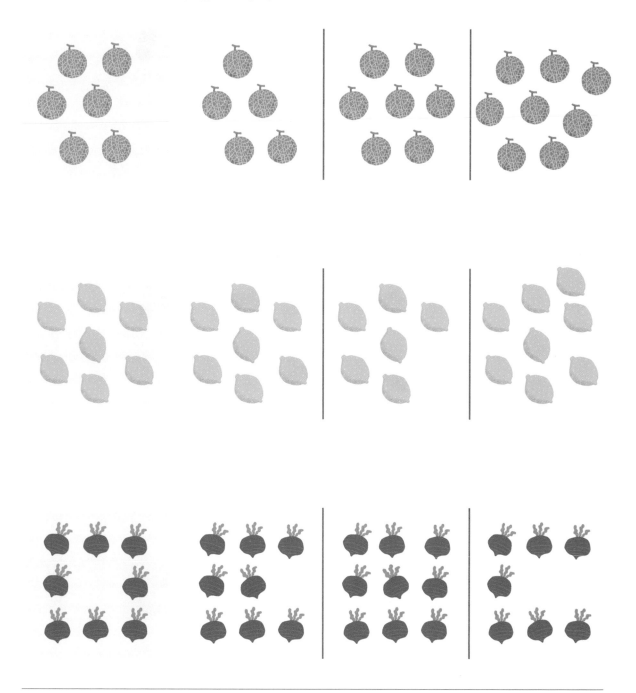

🤖 칸토 쌤 | 하나 더 많은 그림을 찾을 때는 그림의 위치를 비교하여 간단히 찾을 수 있도록 합니다. 여기서는 하나 더 많은 것에 대한 의미만 느껴 보고, 2일 차에서 하나 더 많은 수에 대해 집중하여 학습합니다.

하나 더 많다

2일 하나 더 많은 수

🤖 하나 더 색칠하고, 하나 더 많은 수 딱지를 찾아 붙이세요.

하나 더 많게 색칠하고, 하나 더 많은 수 딱지를 찾아 붙이세요.

여섯보다 하나 더 많아!

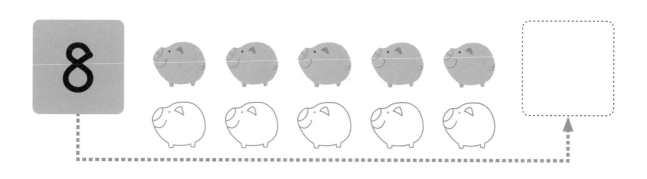

칸토 쌤 말로 외운 수로 하나 더 많은 수를 찾는 것은 아이들에게 아직 어려울 수 있어요.
이미지를 머릿속으로 떠올릴 수 있는 점 수판을 이용해 보세요.

6보다 하나 더 많은 수

1	2	3	4	5
6	⑦	8	9	

하나 더 적게

짝지어 선을 그어 보고, 더 적은 것에 ✕표 하세요.

하나 더 적은 것에 ◯표 하세요.

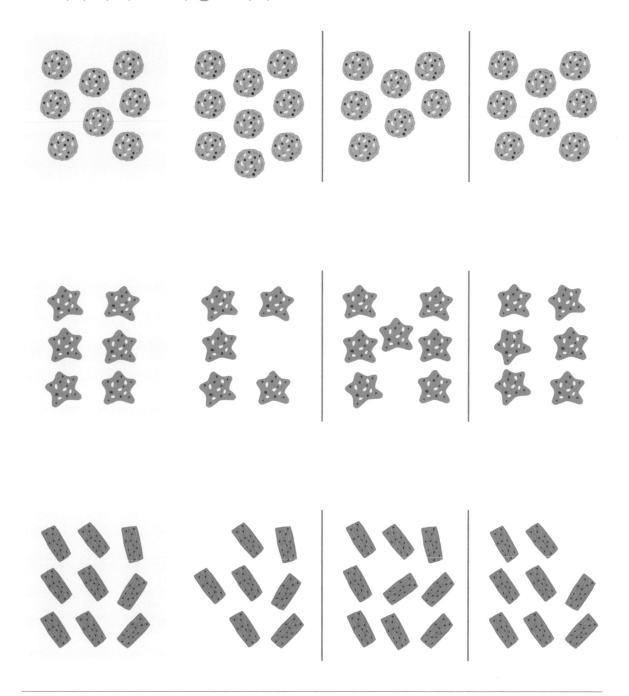

칸토 쌤 | 1일 차에서와 같이 하나 더 적은 것의 의미를 느낄 수 있도록 그림의 위치만 비교하여 하나 더 적은 것을 간단히 찾습니다. 하나 더 적은 수에 대해서는 4일 차에서 집중하여 공부합니다.

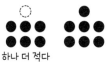

하나 더 적다

하나 더 적은 수

하나만큼 ✕표 하고, 하나 더 적은 수 딱지를 찾아 붙이세요.

6

비행기 하나가 하늘로 날아갔어.

7

8

🐟 하나 더 적게 색칠하고, 하나 더 적은 수 딱지를 찾아 붙이세요.

아홉보다 하나 더 적어!

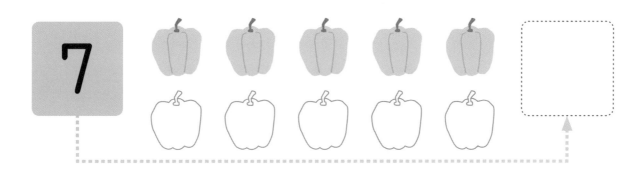

🤖 칸토 쌤

이미지를 떠올릴 수 있는 점 수판을 이용하여 하나 더 적은 수를 찾아봅니다.
5세 3권에서는 하나 더 적은 수와 하나 더 많은 수를 '수의 순서'를 이용하여 간단히
찾는 방법을 알아봅니다.

9보다 하나 더 적은 수

1	2	3	4	5
6	7	⑧	9	

하나 더 많고 적은 수

🐟 그림에 맞게 하나 더 많은 수 딱지를 찾아 붙이세요.

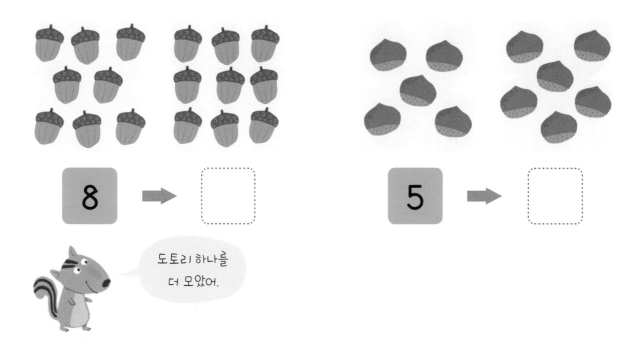

8 ➡

5 ➡

도토리 하나를
더 모았어.

🐟 그림에 맞게 하나 더 적은 수 딱지를 찾아 붙이세요.

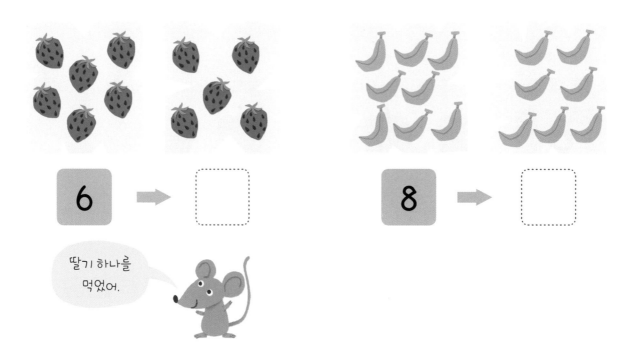

6 ➡

8 ➡

딸기 하나를
먹었어.

하나 더 많은 수와 하나 더 적은 수 딱지를 찾아 붙이세요.

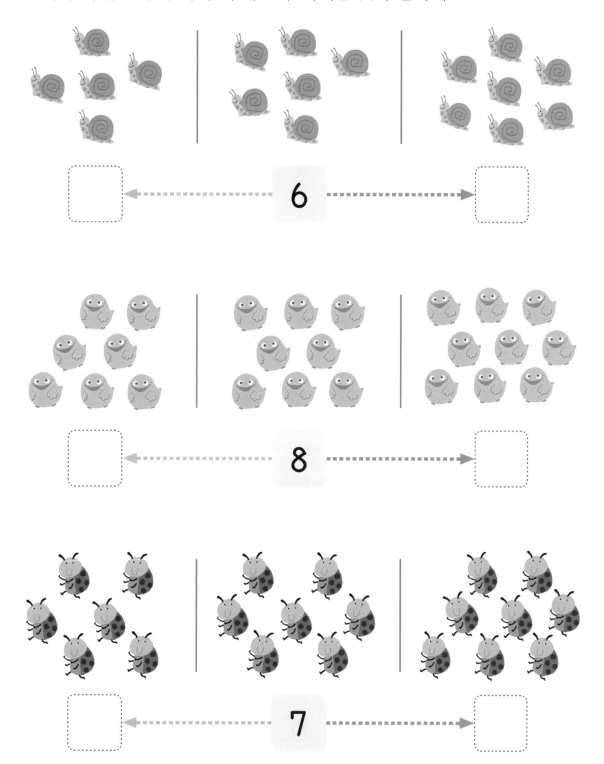

확인학습

하나 더 많은 것에 ◯표 하세요.

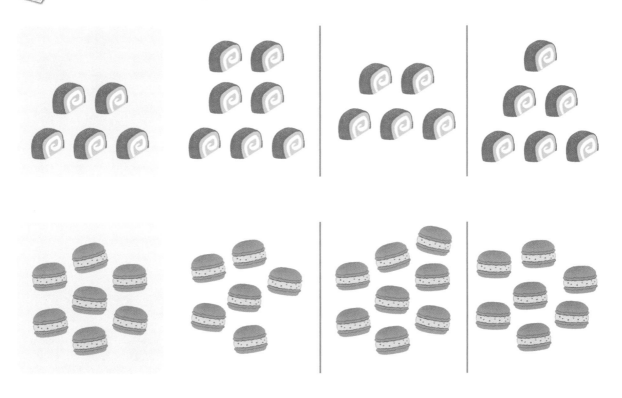

하나 더 많은 수와 하나 더 적은 수 딱지를 찾아 붙이세요.

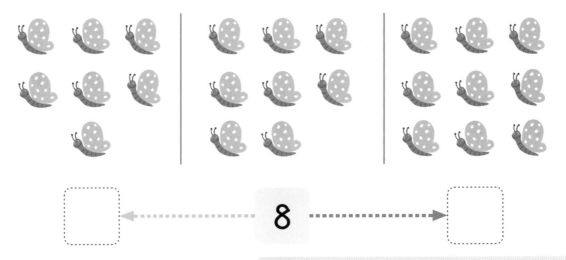

→ 43쪽으로 돌아가 4주 차 학습 기준을 달성했는지 체크해 보세요.

마무리 평가

마무리 평가에서는 1, 2, 3, 4주 차의 유형이 순서대로 나옵니다.
문제가 틀리면 몇 주 차인지 확인하여 반드시 다시 한번 복습합니다.

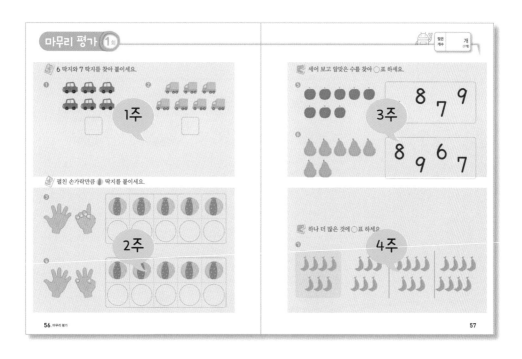

6 딱지와 7 딱지를 찾아 붙이세요.

❶

❷

 펼친 손가락만큼 🍉 딱지를 붙이세요.

❸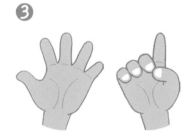

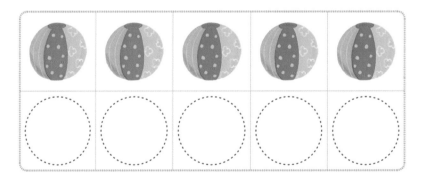

❹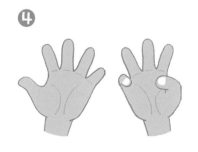

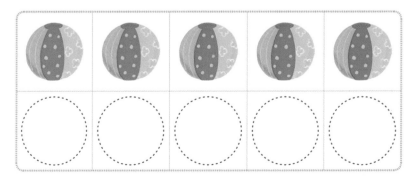

세어 보고 알맞은 수를 찾아 ◯표 하세요.

❺

6   8   7   9

❻

8   9   6   7

하나 더 많은 것에 ◯표 하세요.

❼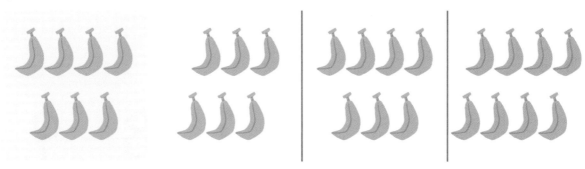

똑같은 수 딱지를 찾아 붙이세요.

❶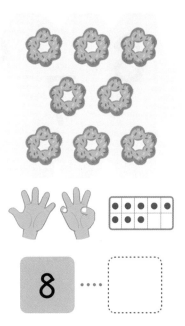

8 ···· ☐

❷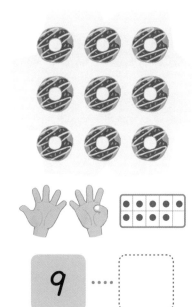

9 ···· ☐

손가락이 나타내는 수를 찾아 ○표 하세요.

❸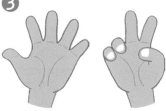

6 7 8 9

❹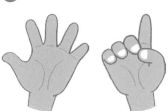

6 7 8 9

세어 보고 알맞은 수 딱지를 찾아 붙이세요.

❺

❻

 짝지어 선을 그어 보고, 하나 더 적은 것에 ✕표 하세요.

❼

세어 보고 알맞은 수 딱지를 찾아 붙이세요.

❶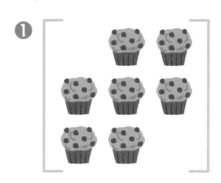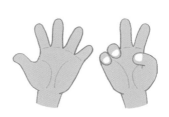

❷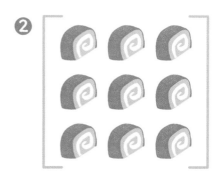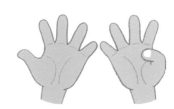

점 수판이 나타내는 수를 찾아 ◯표 하세요.

❸

6 7 8 9

❹

6 7 8 9

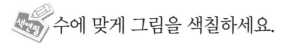 수에 맞게 그림을 색칠하세요.

⑤

붙임딱지 하나 더 많게 색칠하고, 하나 더 많은 수 딱지를 찾아 붙이세요.

⑥

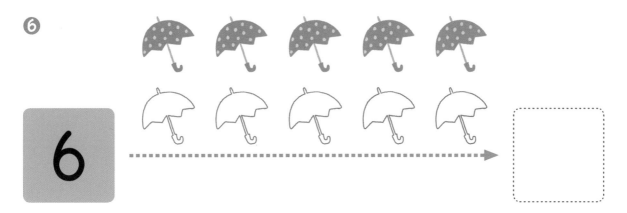

숨어 있는 숫자를 하나씩 찾아 색칠하세요.

❶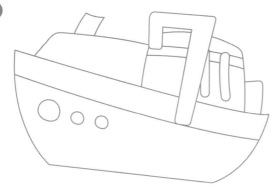

❷

 손가락이 나타내는 수 딱지를 찾아 붙이세요.

❸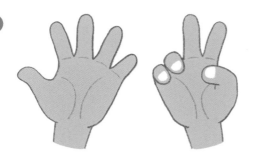

❹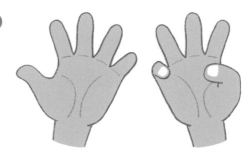

![붙임 딱지] 따로 세어 보고 알맞은 수 딱지를 찾아 붙이세요.

❺

🧦 : ⬚ 개

🧤 : ⬚ 개

![붙임 딱지] 하나 더 적게 색칠하고, 하나 더 적은 수 딱지를 찾아 붙이세요.

❻

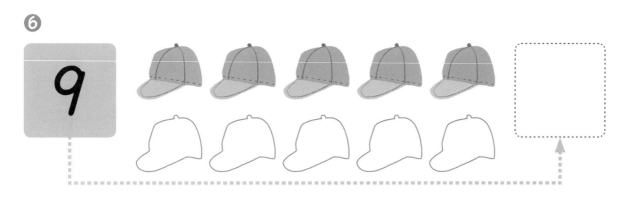

9

숨어 있는 숫자를 하나씩 찾아 색칠하세요.

❶

❷

같은 수를 찾아 색연필로 선을 이으세요.

❸ 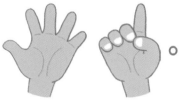 ○   ○  ○   ○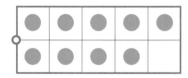

❹ 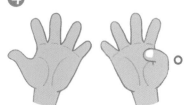 ○   ○  ○   ○

붙임딱지 따로 세어 보고 알맞은 수 딱지를 찾아 붙이세요.

❺

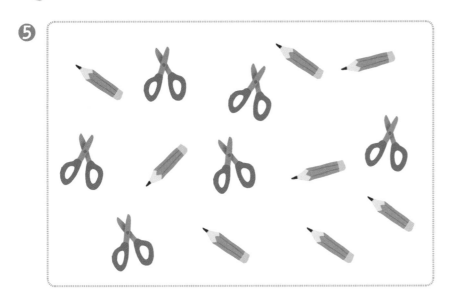

✏ : [ ] 개

✂ : [ ] 개

붙임딱지 하나 더 많은 수와 하나 더 적은 수 딱지를 찾아 붙이세요.

❻

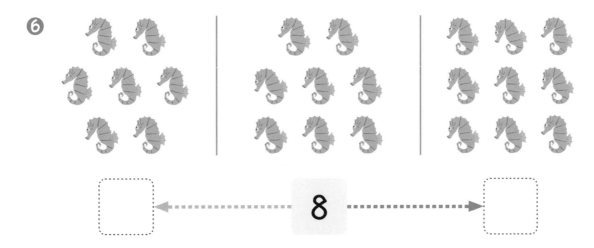

[ ] ⟵······ **8** ······⟶ [ ]

MEMO

MEMO

MEMO

1주: **6, 7, 8, 9**

1일 6과 7

8쪽 · 9쪽

🐞 6 딱지를 찾아 붙이세요.

6 여섯 육

여기에도 붙여야 해!

내 다리도 여섯이야

🐞 7 딱지를 찾아 붙이세요.

7 일곱 칠

7 7 7
7의 다양한 모양

🐝 칸토 쌤 5세 1권에서 배웠던 1, 2, 3, 4, 5에 이어 5세 2권에서는 6, 7, 8, 9를 공부합니다. '숫자 쓰기'는 5세 3권에 소개되니 손가락, 점 수판, 구체물을 2가지 방법(우리말, 한자말)으로 세어 보며 숫자의 모양을 눈으로 충분히 익혀 보세요.

2일 8과 9

10쪽 · 11쪽

🐞 8 딱지를 찾아 붙이세요.

8 여덟 팔

내 다리도 여덟이야

🐞 9 딱지를 찾아 붙이세요.

9 아홉 구

🐝 칸토 쌤 배열이 다르더라도 개수가 같음을 이해합니다. 이것을 '보존 개념'이라고 하는데 같은 수의 바둑돌로 배열을 다양하게 바꾸어 가며 수와 숫자를 익혀 보세요. 6, 7세 무렵이면 대부분의 아이들이 보존 개념이 형성되기 시작하므로 아이가 잘 모르더라도 기다려 주세요.

어느 쪽이 더 많니?

3일 6, 7, 8, 9(1)

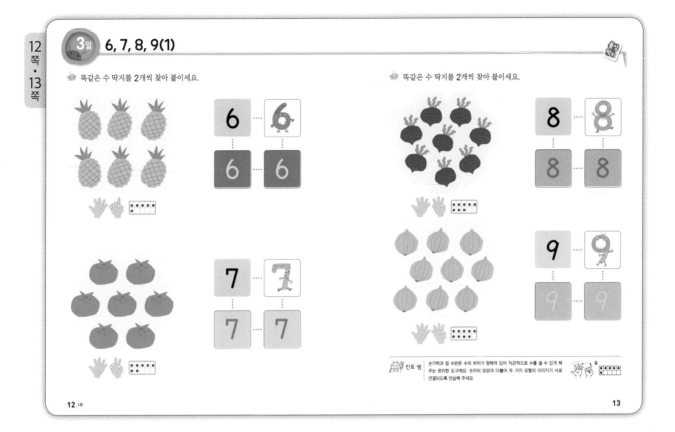

🐛 똑같은 수 딱지를 2개씩 찾아 붙이세요.

🐛 똑같은 수 딱지를 2개씩 찾아 붙이세요.

🤖 칸토 쌤 손가락과 점 수판은 수의 위치가 정해져 있어 직관적으로 수를 셀 수 있게 해주는 편리한 도구예요. 숫자의 모양과 더불어 두 가지 모형의 이미지가 서로 연결되도록 연습해 주세요.

4일 6, 7, 8, 9(2)

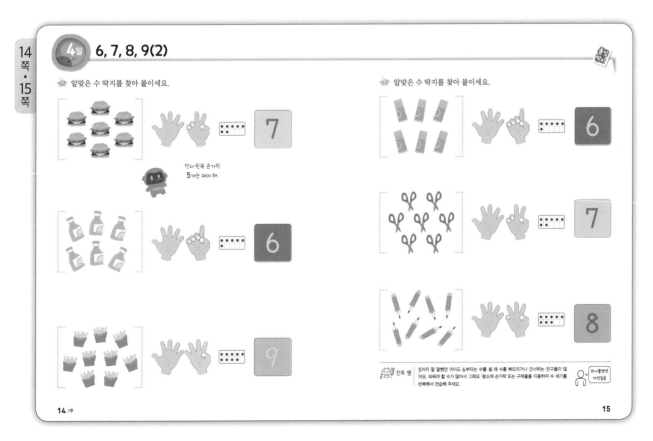

🐛 알맞은 수 딱지를 찾아 붙이세요.

🐛 알맞은 수 딱지를 찾아 붙이세요.

먼저 왼쪽 손가락
5개는 펴야 해요

🤖 칸토 쌤 5까지 잘 말했던 아이도 6부터는 수를 셀 때 수를 빠드리거나 건너뛰는 친구들이 많아요. 외워야 할 수가 많아서 그래요. 평소에 손가락 또는 구체물을 이용하여 수 세기를 반복해서 연습해 주세요.

하나둘셋넷
다섯일곱

16
쪽 · 17
쪽

5일 숫자 찾기

🖍 숨어 있는 6, 7, 8, 9를 찾아 색칠하세요.

🖍 6, 7, 8, 9를 찾아 ◯표 하세요.

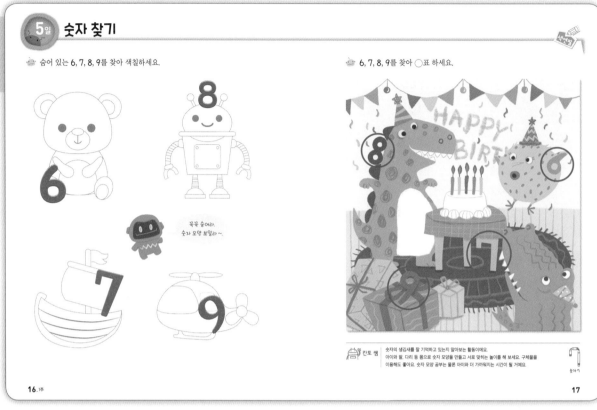

꼭꼭 숨어라.
숫자 모양 보일라 ~

👄 칸토 쌤 | 숫자의 생김새를 잘 기억하고 있는지 알아보는 활동이에요.
아이와 팔, 다리 등 몸으로 숫자 모양을 만들고 서로 맞히는 놀이를 해 보세요. 구체물을
이용해도 좋아요. 숫자 모양 공부는 물론 아이와 더 가까워지는 시간이 될 거예요.

16 . 1주

17

18
쪽

확인학습

🃏 알맞은 수 딱지를 찾아 붙이세요.

7

🖍 숨어 있는 숫자를 하나씩 찾아 색칠하세요.

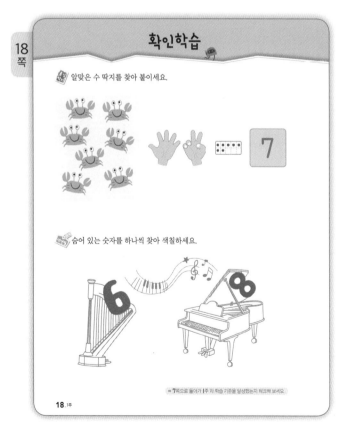

➡ 7쪽으로 돌아가 1주 차 학습 기준을 달성했는지 체크해 보세요.

18 . 1주

1주

2주: 손가락 수, 점 수판

1일 손가락 수(1)

펼친 손가락만큼 딱지를 붙이세요.

윗쪽 손가락 5개는 윗줄의 공 5개와 같아.

펼친 손가락만큼 🟢를 색칠하세요.

5개는 이미 색칠했어.

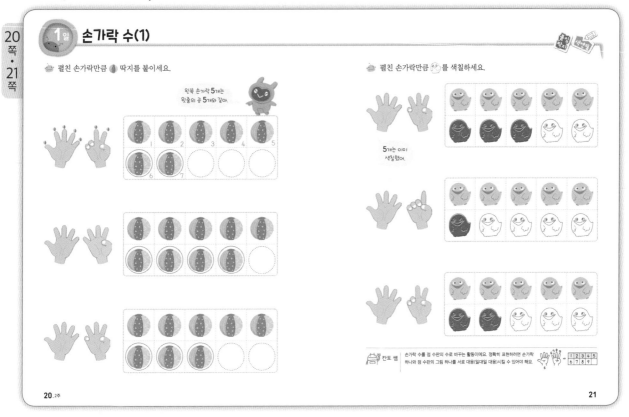

칸토 쌤 | 손가락 수를 점 수판의 수로 바꾸는 활동이에요. 정확히 표현하려면 손가락 하나와 점 수판의 그림 하나를 서로 대응(일대일 대응)시킬 수 있어야 해요.

2일 손가락 수(2)

손가락이 나타내는 수를 찾아 ○표 하세요.

손가락이 나타내는 수 딱지를 찾아 붙이세요.

5부터 이어 세어 봐. 5, 6, 7.

5부터 시작해 봐!

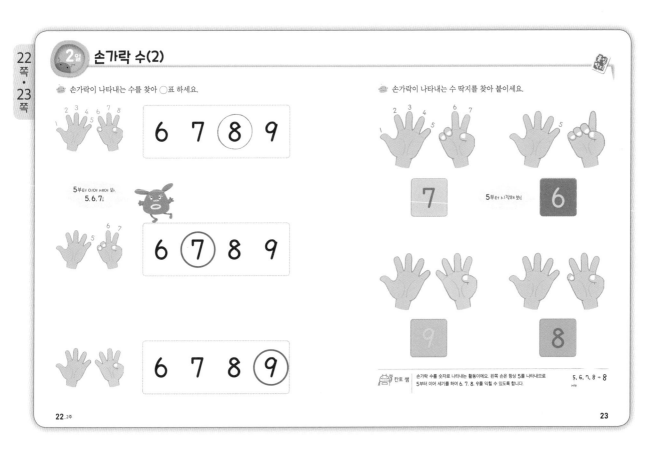

칸토 쌤 | 손가락 수를 숫자로 나타내는 활동이에요. 왼쪽 손은 항상 5를 나타내므로 5부터 이어 세기를 하여 6, 7, 8, 9를 익힐 수 있도록 합니다.

5, 6, 7, 8 → 8

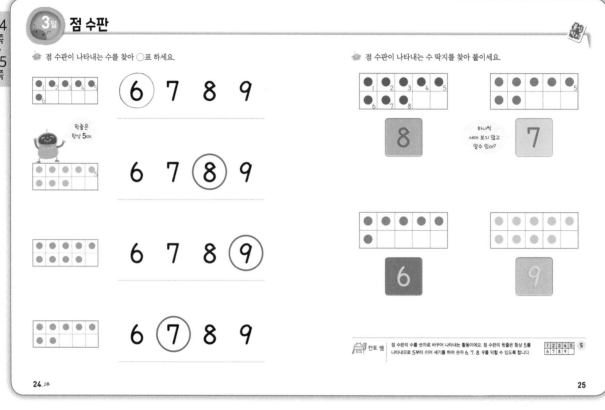

3일 **점 수판**

24쪽·25쪽

점 수판이 나타내는 수를 찾아 ◯표 하세요.

⑥ 7 8 9

6 7ⓐ 8 9

6 7 8 ⑨

6 ⑦ 8 9

점 수판이 나타내는 수 딱지를 찾아 붙이세요.

8

7

6

9

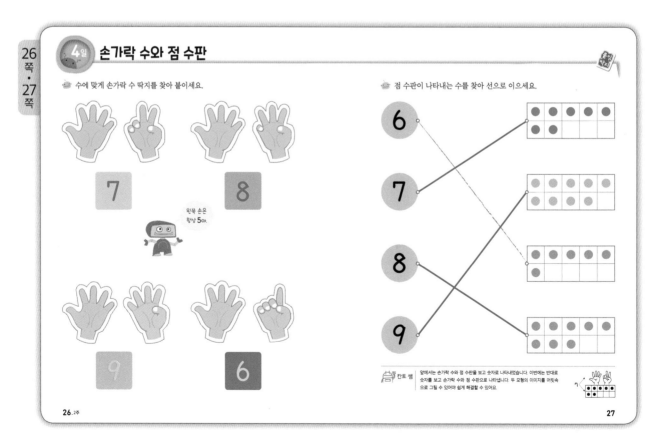

4일 **손가락 수와 점 수판**

26쪽·27쪽

수에 맞게 손가락 수 딱지를 찾아 붙이세요.

7

8

9

6

점 수판이 나타내는 수를 찾아 선으로 이으세요.

6

7

8

9

5일 같은 수 찾기

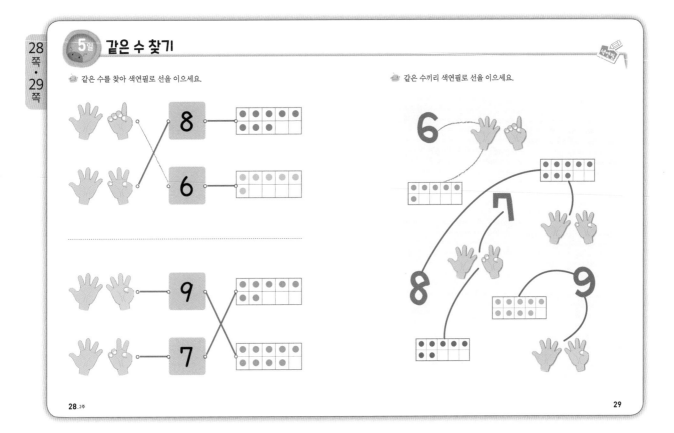

같은 수를 찾아 색연필로 선을 이으세요.

같은 수끼리 색연필로 선을 이으세요.

확인학습

손가락이 나타내는 수를 찾아 ○표 하세요.

6 7 ⑧ 9

⑥ 7 8 9

점 수판이 나타내는 수 딱지를 찾아 붙이세요.

7

9

☞ 19쪽으로 돌아가 2주 차 학습 기준을 달성했는지 체크해 보세요.

2주

3주: 9까지의 수 세기

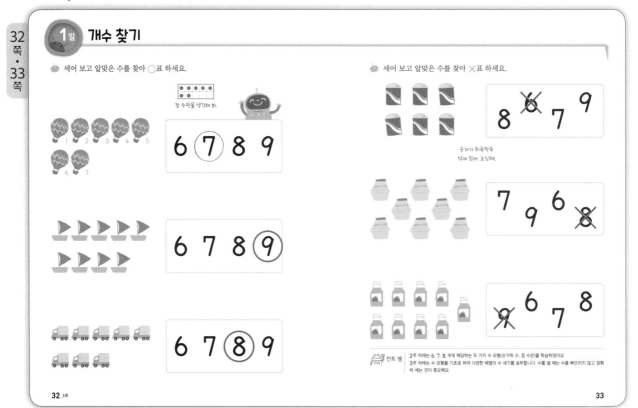

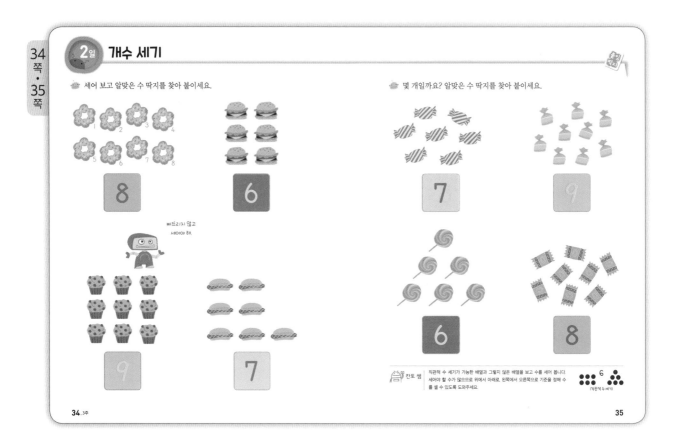

8

3일 수만큼

🖐 수에 맞게 그림을 색칠하세요.

🖐 수에 맞게 그림을 색칠하세요.

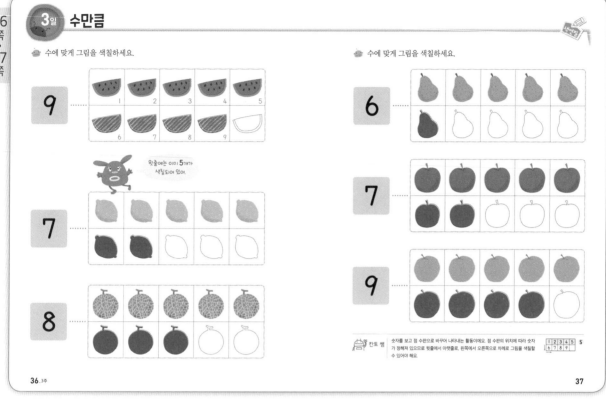

9

7

8

6

7

9

밑줄에는 이미 **5**개가 색칠되어 있어.

🚗 칸토 쌤   숫자를 보고 점 수판으로 바꾸어 나타내는 활동이에요. 점 수판의 위치에 따라 숫자가 정해져 있으므로 윗줄에서 아랫줄로, 왼쪽에서 오른쪽으로 차례로 그림을 색칠할 수 있어야 해요.

1	2	3	4	5
6	7	8	9	

36·3주

37

4일 따로 세기

🖐 따로 세어 보고 알맞은 수 딱지를 찾아 붙이세요.

🖐 각각 몇 개일까요? 알맞은 수 딱지를 찾아 붙이세요.

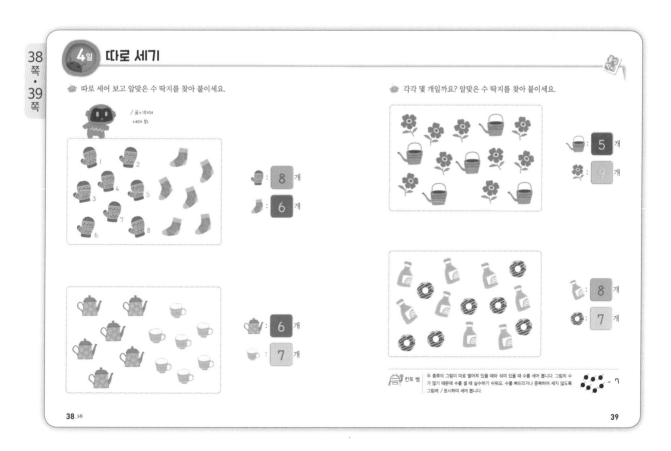

/표시하며 세어 봐.

🧤 : **8** 개

🧦 : **6** 개

🫖 : **6** 개

☕ : **7** 개

🌼 : **5** 개

🌸 : **9** 개

🍾 : **8** 개

🍩 : **7** 개

🚗 칸토 쌤   두 종류의 그림이 따로 떨어져 있을 때와 섞여 있을 때 수를 세어 봅니다. 그림의 수가 많기 때문에 수를 셀 때 실수하기 쉬워요. 수를 빠뜨리거나 중복하여 세지 않도록 그림에 /표시하여 세어 봅니다.

→ ㄱ

38·3주

39

9

5일 복잡한 세기

🍪 수를 세어 알맞은 수 딱지를 찾아 붙이세요.

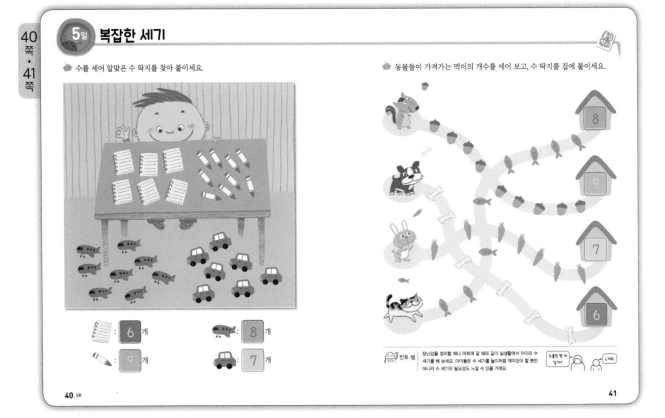

📝 : 6 개   ✈ : 8 개

🖍 : 9 개   🚗 : 7 개

🍪 동물들이 가져가는 먹이의 개수를 세어 보고, 수 딱지를 집에 붙이세요.

🏠 8
🏠 9
🏠 7
🏠 6

🏠 칸토 쌤 장난감을 정리할 때나 마트에 갈 때와 같이 실생활에서 아이와 수 세기를 해 보세요. 아이들은 수 세기를 놀이처럼 재미있어 할 뿐만 아니라 수 세기의 필요성도 느낄 수 있을 거예요.

40 _3주   41

확인학습

📖 세어 보고 알맞은 수를 찾아 ○표 하세요.

6 7 8 (9)

6 7 (8) 9

🎨 각각 몇 개일까요? 알맞은 수 딱지를 찾아 붙이세요.

🪣 : 6 개

🖌 : 9 개

➡ 31쪽으로 돌아가 3주 차 학습 기준을 달성했는지 체크해 보세요

42 _3주

3주

10

4주 : 하나 더 많고 적게

1일 하나 더 많게

🖐 짝지어 선을 그어 보고, 하나 더 많은 것에 ◯표 하세요.

🖐 하나 더 많은 것에 ◯표 하세요.

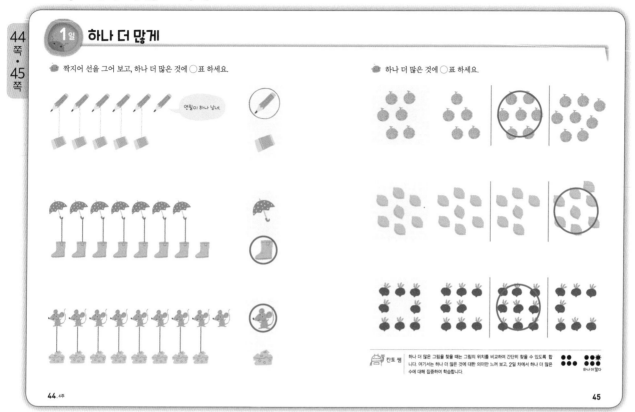

연필이 하나 남네

> 🏠 칸토 쌤 하나 더 많은 그림을 찾을 때는 그림의 위치를 비교하여 간단히 찾을 수 있도록 합니다. 여기서는 하나 더 많은 것에 대한 의미만 느껴 보고, 2일 차에서 하나 더 많은 수에 대해 집중하여 학습합니다.

하나 더 많다

2일 하나 더 많은 수

🖐 하나 더 색칠하고, 하나 더 많은 수 딱지를 찾아 붙이세요.

🖐 하나 더 많게 색칠하고, 하나 더 많은 수 딱지를 찾아 붙이세요.

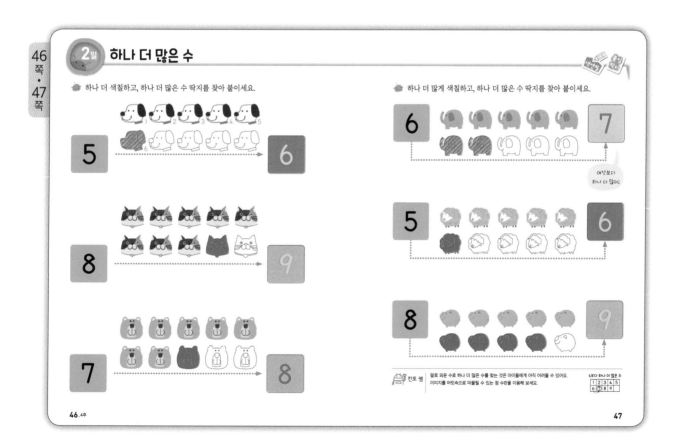

여섯보다
하나 더 많아

> 🏠 칸토 쌤 말로 외운 수로 하나 더 많은 수를 찾는 것은 아이들에게 아직 어려울 수 있어요. 이미지를 머릿속으로 떠올릴 수 있는 점 수판을 이용해 보세요.

6보다 하나 더 많은 수

| 1 | 2 | 3 | 4 | 5 |
| 6 | 7 | 8 | 9 | |

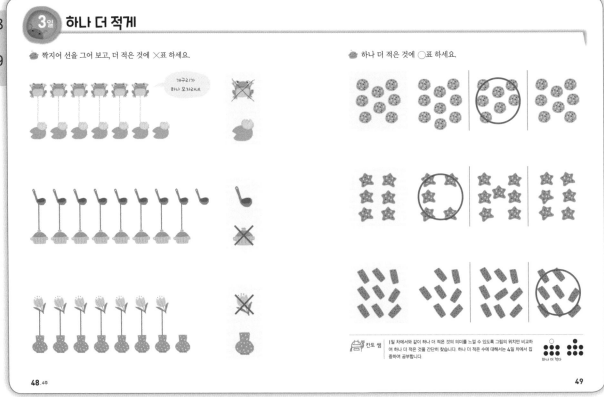

3일 하나 더 적게

🐸 짝지어 선을 그어 보고, 더 적은 것에 ✕표 하세요.

개구리가 하나 모자라네

🐸 하나 더 적은 것에 ○표 하세요.

칸토 쌤 1일 차에서와 같이 하나 더 적은 것의 의미를 느낄 수 있도록 그림의 위치만 비교하여 하나 더 적은 것을 간단히 찾아봅니다. 하나 더 적은 수에 대해서는 4일 차에서 집중하여 공부합니다.

48 ·4주

49

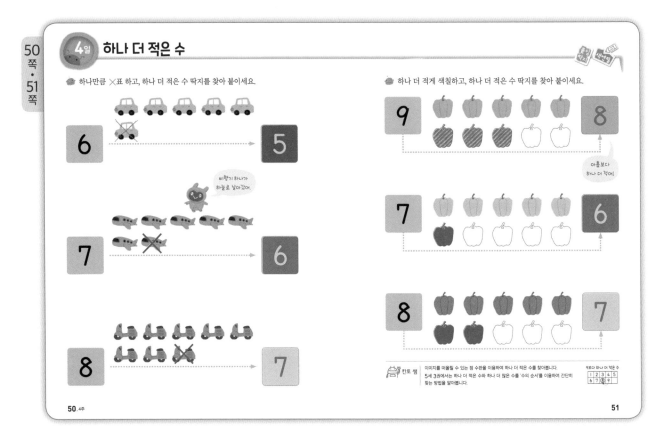

4일 하나 더 적은 수

🐰 하나만큼 ✕표 하고, 하나 더 적은 수 딱지를 찾아 붙이세요.

6 → 5

비행기 하나가 하늘로 날아갔어.

7 → 6

8 → 7

🐰 하나 더 적게 색칠하고, 하나 더 적은 수 딱지를 찾아 붙이세요.

9 → 8

아홉보다 하나 더 적어.

7 → 6

8 → 7

칸토 쌤 이미지를 떠올릴 수 있는 점 수판을 이용하여 하나 더 적은 수를 찾아봅니다. 5세 3권에서는 하나 더 적은 수와 하나 더 많은 수를 '수의 순서'를 이용하여 간단히 찾는 방법을 알아봅니다.

9보다 하나 더 적은 수
| 1 | 2 | 3 | 4 | 5 |
| 6 | 7 | ⑧ | 9 | |

50 ·4주

51

12

5일 하나 더 많고 적은 수

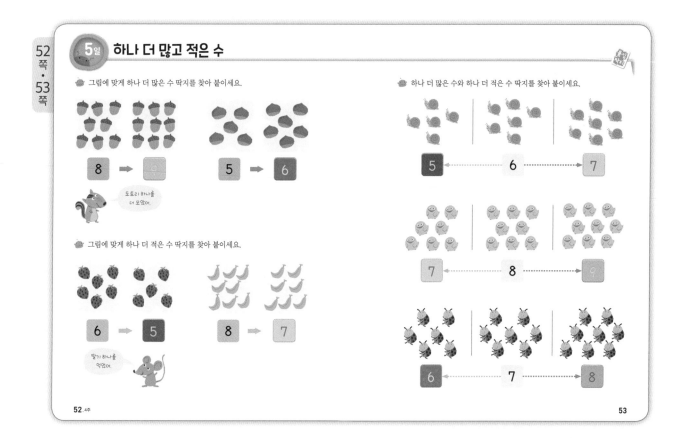

🐾 그림에 맞게 하나 더 많은 수 딱지를 찾아 붙이세요.

🐾 하나 더 많은 수와 하나 더 적은 수 딱지를 찾아 붙이세요.

🐾 그림에 맞게 하나 더 적은 수 딱지를 찾아 붙이세요.

확인학습

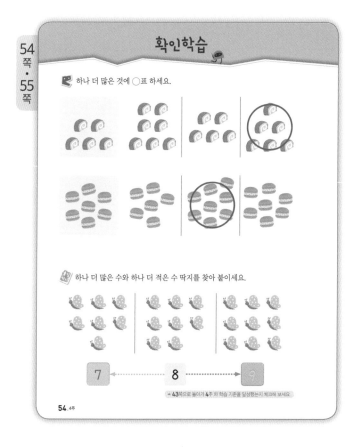

🐾 하나 더 많은 것에 ◯표 하세요.

🐾 하나 더 많은 수와 하나 더 적은 수 딱지를 찾아 붙이세요.

➡ 43쪽으로 돌아가 4주 차 학습 기준을 달성했는지 체크해 보세요.

4주

마무리 평가

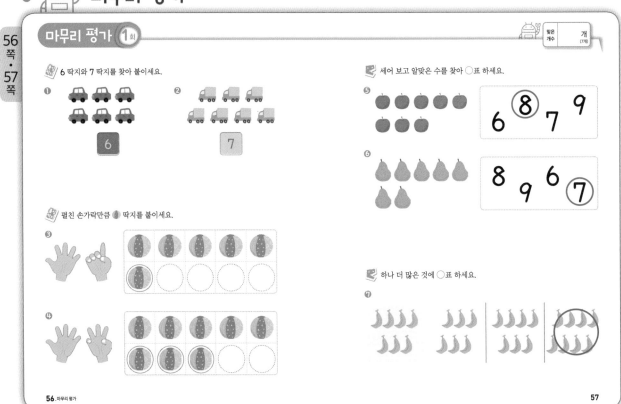

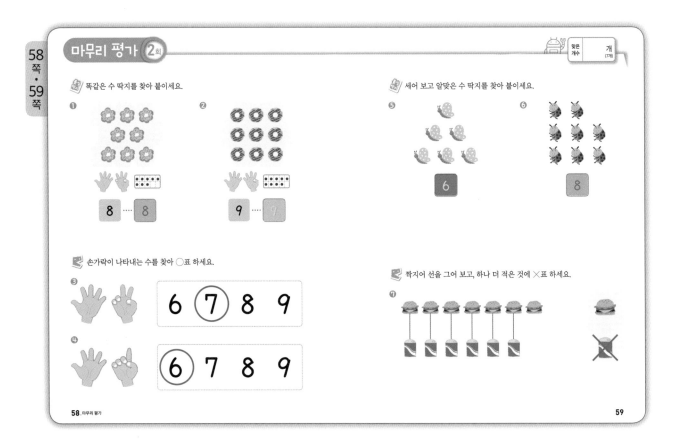

마무리 평가 3회

맞은 개수 ___ 개 (6개)

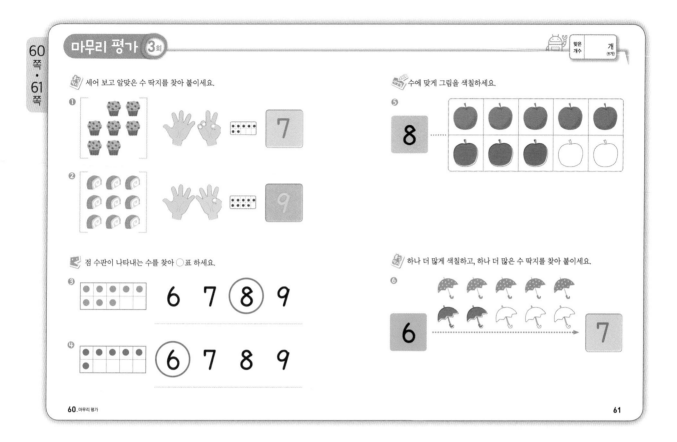

세어 보고 알맞은 수 딱지를 찾아 붙이세요.

① 7

② 9

점 수판이 나타내는 수를 찾아 ○표 하세요.

③ 6 7 ⑧ 9

④ ⑥ 7 8 9

수에 맞게 그림을 색칠하세요.

⑤ 8

하나 더 많게 색칠하고, 하나 더 많은 수 딱지를 찾아 붙이세요.

⑥ 6 → 7

마무리 평가 4회

맞은 개수 ___ 개 (6개)

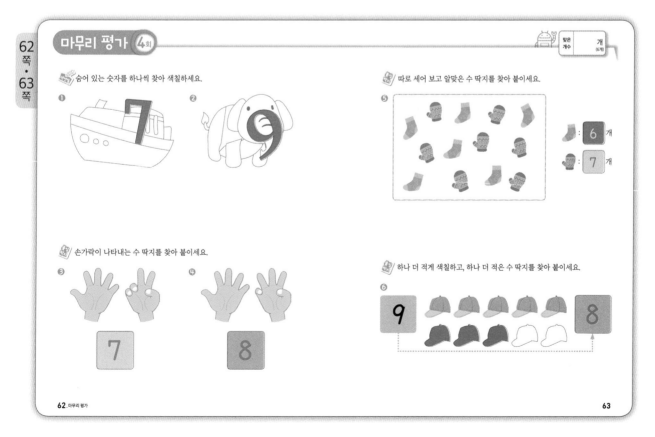

숨어 있는 숫자를 하나씩 찾아 색칠하세요.

① 7

② 9

손가락이 나타내는 수 딱지를 찾아 붙이세요.

③ 7

④ 8

따로 세어 보고 알맞은 수 딱지를 찾아 붙이세요.

⑤ 6 개
7 개

하나 더 적게 색칠하고, 하나 더 적은 수 딱지를 찾아 붙이세요.

⑥ 9 ← 8

마무리 평가 5회

맞은
개수 | 개
(6개)

숨어 있는 숫자를 하나씩 찾아 색칠하세요.

①

②

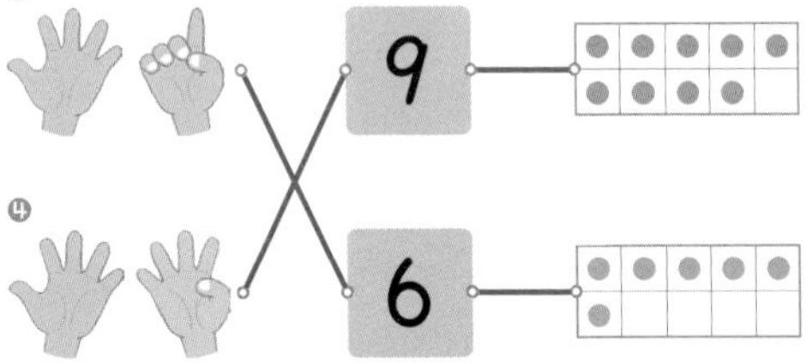

따로 세어 보고 알맞은 수 딱지를 찾아 붙이세요.

⑤

✏ : 8 개

✂ : 6 개

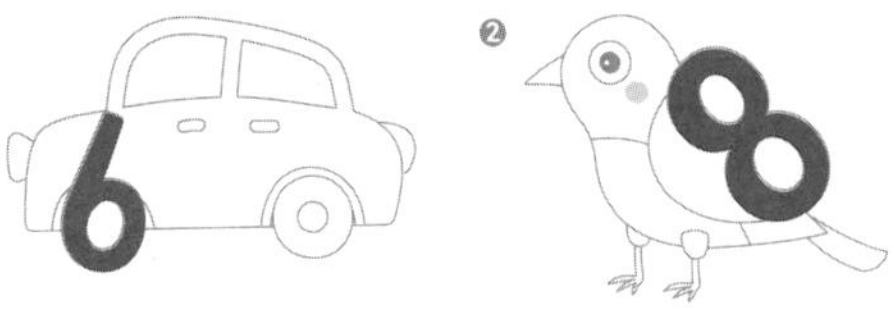

같은 수를 찾아 색연필로 선을 이으세요.

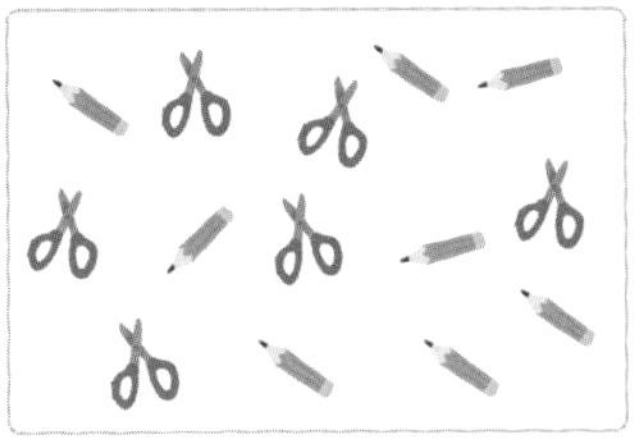

③ 9

④ 6

하나 더 많은 수와 하나 더 적은 수 딱지를 찾아 붙이세요.

⑥

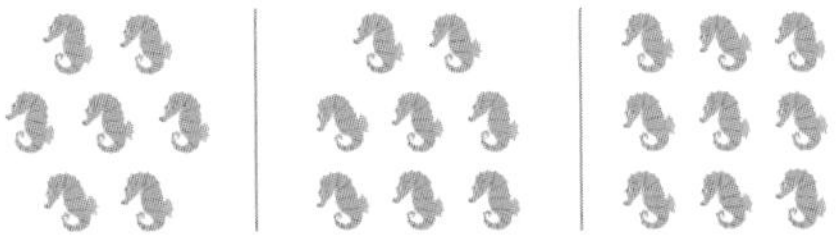

7 ←----- 8 -----→ 9

6쪽

8~15쪽, 18쪽, 23쪽, 25쪽, 30쪽, 34~35쪽, 46~47쪽, 50~51쪽, 60~61쪽, 63쪽

8~15쪽, 18쪽, 23쪽, 25쪽, 30쪽, 34~35쪽, 46~47쪽, 50~51쪽, 60~61쪽, 63쪽

7 7 7 7 7 7

7 7 7 7 7 7

8 8 8 8 8 8

8 8 8 8 8 8

8 8 8 8 8 8

9 9 9 9 9 9

9 9 9 9 9 9

9 9 9 9 9 9

20쪽, 56쪽

26쪽

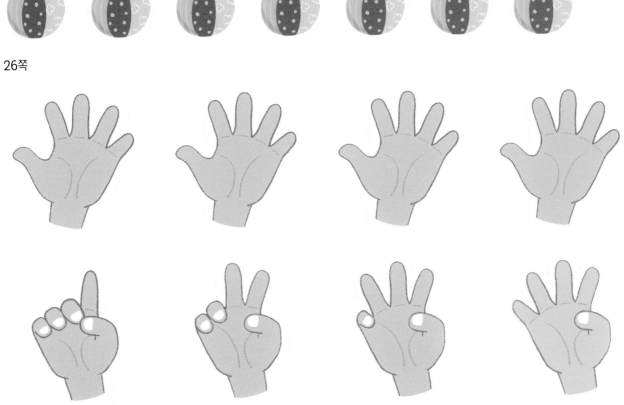

38~42쪽, 52~54쪽, 56쪽, 58~59쪽, 63쪽, 65쪽

5	5	5	5	6	6	6	6	6
6	6	6	6	6	6	6	7	7
7	7	7	7	7	7	7	7	7
8	8	8	8	8	8	8	8	8
9	9	9	9	9	9	9	9	9